Pierre
CHRISTIN

Annie
GOETZINGER

Agence Hardy

Le parfum disparu

DARGAUD

PARIS • BARCELONE • BRUXELLES • LAUSANNE • LONDRES • MONTREAL • NEW YORK • STUTTGART

Nos remerciements à Alexis Lemoine
pour le talentueux portrait attribué
à Alexis Lemonovitch dans la Galerie Perspektiv.

www.dargaud.com

PARIS, 1955.

BONJOUR MADAME HARDY.

BONJOUR MADAME MAZIERO, BONJOUR.

VOUS AVEZ FAIT BON VOYAGE ?

EXCELLENT ÉMILE, MERCI.

CE N'ÉTAIT PAS BIEN LOIN, DE TOUTE FAÇON.

TANT MIEUX, PARCE QUE J'AI L'IMPRESSION QUE VOTRE JEUNE ET BRILLANT ASSOCIÉ A UN PEU DE MAL À FAIRE FACE À LA SITUATION.

OUIIIN!..

EH BIEN VICTOR, QUE SE PASSE-T-IL ?

AGENCE HARDY

PERSONNES DISPARUES
ENQUÊTES
GÉNÉALOGIE

EUH, C'EST LE BÉBÉ DE MADAME COLOMBIER QUI PLEURE ET JE NE SAIS PAS TROP...

AH MARIE, VOUS ÊTES LÀ !

OUIIIN...

ÇA TOMBE BIEN CAR J'AI DES NOUVELLES POUR VOUS.

DES NOUVELLES DE MON MARI ?

OUI MAIS...

EXCUSEZ-LE MADAME, IL A FAIM ET JE N'AI PLUS DU TOUT D'ARGENT.

OUIIIN...

BON, ALORS VICTOR VOUS ALLEZ À LA FERME ET RAPPORTEZ DU LAIT POUR CE PETIT.

À LA FERME ? MARCHER DANS LE PURIN AVEC MES CHAUSSURES NEUVES ?

ON S'EXÉCUTE VICTOR, ET ON FAIT VITE, PENDANT CE TEMPS, JE VAIS EXPLIQUER LA SITUATION À MARIE.

PFFF, TOUJOURS LES CORVÉES.

TIENS, C'EST TOI, VITTORIO ? TA MÈRE VA BIEN ? C'EST PAS SOUVENT QU'ON TE VOIT ICI MAINTENANT, HEIN ? ET QU'EST-CE QUE JE PEUX FAIRE POUR T'AIDER ?

D'ABORD C'EST VICTOR, PAS VITTORIO S'IL VOUS PLAIT, OUI, MA MÈRE VA BIEN MAIS VOUS DEVRIEZ LE SAVOIR. ET JE VOUDRAIS DE CE TRUC BLANC QUI SORT, LÀ...

TOUJOURS LE MOT POUR RIRE, COMME QUAND TU ÉTAIS PETIT ET QUE TU VENAIS POUR UN OUI POUR UN NON. PASSE-MOI UNE DES BOITES, JE VAIS TE LA REMPLIR.

PSCHIII

IL VA VOUS FALLOIR DU COURAGE, MARIE, PARCE QUE SI J'AI BIEN RETROUVÉ HIER LA TRACE DE VOTRE MARI AU HAVRE OÙ IL A EMBARQUÉ POUR L'ARGENTINE...

J'AI AUSSI DÉCOUVERT QU'IL ÉTAIT PARTI AVEC UNE AUTRE FEMME.

MON DIEU, QU'EST-CE QUE JE VAIS DEVENIR? PAS DE FAMILLE, PAS DE MARI, PAS DE TRAVAIL...

JE VAIS VOUS DONNER UN MOT POUR DES AMIS QUI OUVRENT UN MAGASIN DE MEUBLES ET CHERCHENT UNE VENDEUSE.

OH, MADAME...

LE LAIT.

VERSEZ-EN DONC DANS CE BIBERON, MON PETIT VICTOR. VOUS ENTENDEZ BIEN QUE CET ENFANT A DE PLUS EN PLUS FAIM.

OOOUIIIN

VOUS N'ALLEZ PAS ME FAIRE DONNER LA TÉTÉE, TOUT DE MÊME?

VOICI, MARIE, PRÉSENTEZ-VOUS CHEZ EUX FAUBOURG SAINT-ANTOINE DÈS CET APRÈS-MIDI. JE SUIS SÛRE QU'ILS POURRONT VOUS AIDER.

JE NE SAIS PAS COMMENT VOUS REMERCIER MADAME. MAIS AUSSITÔT QUE JE SERAI PAYÉE, JE VOUS REMBOURSERAI DE TOUT CE QUE JE VOUS DOIS ENCORE.

ET VOILA, BIEN TIÈDE, ÇA DEVRAIT PLAIRE, NON?

NE FAITES PAS LE MALIN, VICTOR. ET VOUS MARIE, NE VOUS INQUIÉTEZ PAS.

MERCI POUR TOUT.

OUAH, LA NOUVELLE DS DE CHEZ CITROËN, C'EST LA PREMIÈRE FOIS QUE JE LA VOIS EN VRAI!

PAS LE GENRE DE NOTRE PASSAGE, ÇA.

ET POURTANT...

ÇA ALORS!

MADAME ÉDITH HARDY?

MOI-MÊME.

VOICI MA CARTE. LECAUCHOIS. INDUSTRIEL. J'AI UNE USINE UN PEU PLUS BAS DANS L'ARRONDISSE-MENT.

INSTALLEZ-VOUS, JE VOUS EN PRIE.

J'AI ENTENDU PARLER DE VOUS, DE VOTRE DISCRÉTION, DE VOS RÉSULTATS AUSSI. EXCELLENTES RÉFÉRENCES BIEN QUE VOUS NE SOYEZ PAS DANS LA PROFESSION DEPUIS LONGTEMPS, MADAME.

MERCI.

CE QUI M'AMÈNE VA JUSTEMENT... HEM... REQUÉRIR DE LA DISCRÉTION.

VOUS POUVEZ REVENIR APRÈS LE DÉJEUNER VICTOR, CELA SUFFIRA.

APRÈS LE DÉJ...? MERCI MADAME!

APRÈS LE DÉJEUNER, MERCI MADAME, ET POUR UNE FOIS QU'UNE AFFAIRE IMPORTANTE S'ANNONCE ON MET VICTOR DEHORS!

PHOMP

MON PETIT VITTORIO, ENFIN À L'HEURE! ÇA TOMBE BIEN... J'AI PRÉPARÉ DU RISOTTO ET, COMME DISAIT TON PAUVRE PAPA, LE RISOTTO N'ATTEND PAS.

OK MAMAN, OK.

HOQUET? TU AS LE HOQUET VITTORIO?

MAIS NON MAMAN, C'EST UNE MANIÈRE DE PARLER, À L'AMÉRICAINE.

GASTON LECAUCHOIS, DONC. JE SUIS LE PROPRIÉTAIRE DE L'USINE DE PRODUITS PHARMACEUTIQUES QUI SE TROUVE LE LONG DES VOIES DE LA LIGNE DE LA BASTILLE.

JE CONNAIS.

EH BIEN VOILÀ. L'UN DES JEUNES CHIMISTES DE MON ENTREPRISE A DISPARU SUBITEMENT VOICI DEUX SEMAINES DE CELA, LAISSANT SON BUREAU EN PLAN ALORS QU'IL S'APPRÊTAIT À DÉPOSER UN BREVET AVEC MOI POUR UN PARFUM...

UN PARFUM?

6

UNE SORTE DE PARFUM, MADAME, DESTINÉ À UNE POMMADE CICATRISANTE POUR LA PEAU QUE NOUS ALLONS LANCER ET DONT LES VERTUS SONT GRANDES MAIS L'ODEUR... EUH... DISONS PEU ATTIRANTE.

COMMENT S'APPELLE CE CHIMISTE?

ANTOINE DUBREUIL. EN DÉPIT DE SON JEUNE ÂGE, IL EST DÉJÀ PASSÉ PAR LES MEILLEURES ÉCOLES MAIS AUSSI PAR LES MEILLEURS LABORATOIRES ANGLAIS. EN REVANCHE J'IGNORE TOUT DE SES ANTÉCÉDENTS FAMILIAUX. CROYEZ-VOUS POUVOIR RETROUVER SA TRACE?

PUIS-JE VOUS DEMANDER POURQUOI VOUS NE VOUS ADRESSEZ PAS À LA POLICE POUR CELA?

D'ABORD, MONSIEUR DUBREUIL A PARFAITEMENT LE DROIT DE QUITTER MON ENTREPRISE QUAND IL LE VEUT ET S'IL S'AGIT SEULEMENT DE NÉGLIGENCE OU D'IMPOLITESSE DE SA PART JE NE VOUDRAIS PAS LUI NUIRE.

CE SENTIMENT VOUS HONORE, MONSIEUR.

ENSUITE... HEM... COMME JE VOUS L'AI LAISSÉ ENTENDRE, CERTAINS ENJEUX SCIENTIFIQUES ET FINANCIERS IMPORTANTS SONT EN QUESTION ET IL NE SERAIT PAS BON QUE L'AFFAIRE S'ÉBRUITE AUPRÈS DE LA CONCURRENCE.

VOILÀ QUI ME PARAÎT PARFAITEMENT LÉGITIME.

ENFIN, IL Y A CERTAINS DÉTAILS TROUBLANTS DONT J'AIMERAIS VOUS ENTRETENIR SI VOUS VOULEZ BIEN ACCEPTER L'AFFAIRE ET VENIR VOUS RENDRE COMPTE SUR PLACE, PAR EXEMPLE CET APRÈS-MIDI.

LES CHOSES DEVIENNENT DE PLUS EN PLUS CLAIRES.

ALORS, MADAME? POUVONS-NOUS DISCUTER DE VOS EXIGENCES FINANCIÈRES?

NOUS LE POUVONS.

VENEZ AVEC MOI CHÈRE MADAME. VOUS ÊTES ICI DANS LES ÉTABLISSEMENTS LECAUCHOIS DE PÈRE EN FILS DEPUIS 1896.

ILS ONT UNE SPÉCIALITÉ, CES ÉTABLISSE-MENTS ?

OUI MADAME. ANTISEPTIQUES ET DÉSINFECTANTS SOUS TOUTES LEURS FORMES. BIODURE DE MERCURE...

ACIDE BORIQUE... NITRATE D'ARGENT... CHLORURE DE ZINC...

ACIDE CHROMIQUE, EAU OXYGÉNÉE...

SULFATE DE CUIVRE... PERMANGANATE DE POTASSE...

DÉSORDONNÉ, CERTES, MAIS BEAUCOUP PLUS MODERNE QUE LE RESTE DE VOS INSTALLATIONS.

EN EFFET MADAME. DANS UNE AFFAIRE DE FAMILLE COMME CELLE-CI, IL NE FAUT JAMAIS SE REPOSER SUR NOS LAURIERS.

JE SUPPOSE QUE CERTAINS LABORATOIRES ÉTRANGERS SOUHAITENT S'INSTALLER EN FRANCE AVEC DES PRODUITS NOUVEAUX ?

VOUS... VOUS ÊTES AU COURANT DE CERTAINES CHOSES QUE PEU DE GENS CONNAISSENT, MADAME.

DANS MON MÉTIER, CE N'EST PAS UNE MAUVAISE CHOSE D'ÊTRE AU COURANT. QUE S'EST-IL PASSÉ ICI ?

NOUS L'IGNORONS, MADAME.

UNE LUTTE ?

NON, CES MATÉRIELS SONT FRAGILES, IL Y AURAIT PLUS DE CHOSES CASSÉES.

UN VOL ?

NOUS NE SAVONS PAS CE QUI A DISPARU.

ET CES TRACES, LÀ ?

OH MADAME, DANS UNE USINE PHARMACEUTIQUE, EN DÉPIT DE NOS EFFORTS D'HYGIÈNE, IL Y A PARTOUT DES TRACES, HÉLAS...

QUANT À CE PARFUM ?

ÇA, C'EST TOUT CE QUI RESTE DES RECHERCHES DE NOTRE AMI ANTOINE DUBREUIL.

TOC TOC TOC TOC

TÉLÉPHONE DANS VOTRE BUREAU, PATRON!

VOUS PERMETTEZ QUE JE VOUS LAISSE QUELQUES INSTANTS?

JE VOUS EN PRIE.

PSSTTT.

JE POURRAIS VOUS PARLER?

MAIS... OUI... BIEN SÛR.

PAS ICI. PAS MAINTENANT. RENDEZ-VOUS APRÈS LE TRAVAIL CE SOIR À LA FONTAINE DE LA PLACE DAUMESNIL, D'ACCORD?

D'ACCORD,

JE M'APPELLE MARINETTE.

D'ACCORD, MARINETTE.

UN PEU PLUS TARD...

BONSOIR MADAME... EXCUSEZ-MOI D'ÊTRE EN RETARD. LE PATRON A OBLIGÉ LA MOITIÉ D'ENTRE NOUS À RESTER APRÈS L'HEURE POUR HONORER UNE COMMANDE URGENTE.

SANS PAYER D'HEURES SUPPLÉMENTAIRES BIEN SÛR, MÊME S'IL NOUS DIT TOUJOURS QU'IL NOUS REVAUDRA ÇA.

VENEZ BOIRE QUELQUE CHOSE À UNE TERRASSE. IL FAIT ENCORE DOUX CE SOIR.

CE SERA QUOI POUR CES PETITES DAMES ?

UN DIABOLO-GRENADINE.

UN WHISKY-SODA.

VOUS MONTRER QUELQUE CHOSE AUSSI.

UNE PHOTO.

ANTOINE DUBREUIL.

14

IL EST BEAU GARÇON.

OH OUI, MADAME. ET TRÈS GENTIL, TRÈS DOUX, TRÈS BIEN ÉLEVÉ. SEULEMENT IL A DISPARU...

JE SAIS CELA MARINETTE, C'EST LA RAISON POUR LAQUELLE JE SUIS VENUE À L'USINE.

MAIS CE QUE VOUS NE SAVEZ PEUT-ÊTRE PAS, C'EST QU'IL A AUSSI DISPARU DE SON LOGEMENT PARCE QU'IL N'AVAIT DIT À PERSONNE OÙ IL HABITAIT SAUF... EUH...

SAUF À VOUS ?

OUI MADAME. J'ALLAIS PARFOIS LE REJOINDRE LÀ-BAS, PRÈS DE LA GARE DE REUILLY. MAIS JE NE VOUDRAIS PAS QUE VOUS CROYIEZ...

JE CROIS SEULEMENT QUE VOUS AVIEZ BIEN RAISON. C'EST VRAI QU'IL A L'AIR D'UN GENTIL GARÇON.

ET VOILÀ VOILÀ.

CE QUI ME TRACASSE, C'EST QU'IL SOIT PARTI COMME ÇA. NE RIEN DIRE À LECAUCHOIS, D'ACCORD. MAIS À MOI...

VOUS SAVEZ, LES HOMMES, MARINETTE, MÊME GENTILS, ILS FONT DES DRÔLES DE CHOSES. CE MATIN ENCORE J'AI DÛ EXPLIQUER À UNE JEUNE MAMAN QUE SON MARI VENAIT DE L'ABANDONNER POUR FILER...

NON, NON, CE N'EST PAS ÇA ! JE CROIS QU'ANTOINE S'EST SENTI **OBLIGÉ** DE PARTIR...

13

J'AI L'IMPRESSION QUE QUELQU'UN OU QUELQUE CHOSE L'A FORCÉ À S'EN ALLER, VOUS COMPRENEZ?

ET IL NE VOUS A RIEN DIT?

NON, MAIS J'AI NOTÉ UN CHANGEMENT. IL N'ÉTAIT PLUS COMME D'HABITUDE AVEC MOI OU AVEC SES CAMARADES.

VOUS CONNAISSEZ SES AMIS?

IL LES APPELAIT SES CAMARADES, PAS SES AMIS.

AH?

DES GENS TELLEMENT DIFFÉRENTS DE LUI. JE N'AI JAMAIS COMPRIS POURQUOI ILS SE FRÉQUENTAIENT AVEC ANTOINE QUI ÉTAIT SI DÉLICAT ET NE TOUCHAIT PAS UNE GOUTTE D'ALCOOL.

C'ÉTAIENT DES GARS DE L'USINE LE CAUCHOIS?

NON, NON MADAME, PAS DU TOUT. ILS TRAVAILLAIENT TOUS AUX FRIGORIFIQUES DE LA SNCF OU AUX ENTREPÔTS DE BERCY.

VOUS SAVEZ PRÉCISÉMENT OÙ? PARCE QU'IL Y A BEAUCOUP DE MONDE À BERCY.

MORNIC, CELUI QUI AVAIT L'AIR D'ÊTRE LEUR CHEF, UN JOUR, AVEC ANTOINE, JE L'AI VU SORTIR DE CHEZ UN NÉGOCIANT EN VINS NOMMÉ FOUQUIER ET FILS VERS LA COUR SAINT-ÉMILION.

D'AUTRES PERSONNES PARENTS, AMIS COLLÈGUES AUTOUR D'ANTOINE?

IL N'EN PARLAIT JAMAIS.

MMM... IL VA FALLOIR ALLER FAIRE UN TOUR VERS LES CHAIS, J'AI L'IMPRESSION.

VOUS N'Y PENSEZ PAS MADAME? CE N'EST PAS UN ENDROIT POUR LES FEMMES, ME DISAIT TOUJOURS ANTOINE!

ET VOILÀ VOILÀ.

NE VOUS INQUIÉTEZ PAS, J'AI UN JEUNE ASSOCIÉ QUI SERA PARFAIT POUR S'OCCUPER DE ÇA.

14

JE PEUX GARDER LA PHOTO POUR EN FAIRE RÉALISER UNE COPIE ?

SI VOUS ME LA RENDEZ, MADAME...

JE VOUS LA RAPPORTERAI CHEZ VOUS AVEC DES NOUVELLES FRAÎCHES, J'ESPÈRE BIEN, MARINETTE.

LE LENDEMAIN...

L'ACTION, VOILÀ CE QUE J'AIME DANS CE MÉTIER. MAIS IL VA FALLOIR JOUER EN FINESSE, JE SENS ÇA.

EH, P'TIT GARS, ON SE POUSSE !

ATTENTION, VOYONS !

VOILÀ, C'EST ICI.

ÇA DEVRAIT ÊTRE L'HEURE DE LA PAUSE CASSE-CROÛTE ...

ILS SORTENT SE FAIRE GRILLER UNE ENTRECÔTE, J'AI L'IMPRESSION.

ET VOILÀ LES PROVISIONS DE VIN ! S'AGIT PLUS D'HISTOIRES DE BIBERONS AU LAIT, ICI ...

T'AS DU FEU ?

BIEN SÛR.

QU'EST-CE QUE TU FAIS LÀ ?

JE CHERCHE DE L'EMBAUCHE.

OH, T'ARRIVES, REYROLLES, ON A BESOIN DE TOI POUR NOUS CUIRE ÇA À POINT !

LE DÉJEUNER, C'EST PAS LE BON MOMENT POUR TROUVER DU TRAVAIL MAIS POUR DISCUTER AVEC MORNIC, LÀ C'EST LE MOMENT, IL CONNAÎT TOUT SUR LES BOULOTS PAR ICI.

17.

OÙ EST-CE QUE TU AS BOSSÉ AVANT ?

DANS UNE USINE DE PRODUITS PHARMACEUTIQUES.

CLING CLING

CHEZ LECAUCHOIS, JE PARIE ?

ÇA... GLP... COMMENT VOUS AVEZ DEVINÉ ?

JE TE DIS... GLP... MORNIC IL CONNAÎT TOUTES LES BOÎTES DU XIIe ARRONDISSEMENT !

ET POURQUOI TU N'Y ES PAS RESTÉ ?

ALLEZ, ON RETRINQUE.

L'ODEUR... GLP ...ÉPOUVANTABLE L'ODEUR, SURTOUT CELLE DE LA NOUVELLE POMMADE.

ÇA SENT MEILLEUR ICI, HEIN ?

Y BOIT RIEN, CE JEUNE.

SI, JE BOIS... GLP... ET MÊME QUE C'EST SON INVENTEUR QUI M'A DIT QUE SI JE PRÉFÉRAIS LE GRAND AIR ET LA CHIMIE NATURELLE FALLAIT QUE JE VIENNE CHEZ FOUQUIER ET SUCCESSEURS ?

ÇA SUFFIT POUR MOI.

IL S'APPELLE COMMENT, L'INVENTEUR DE LA POMMADE ?

MONSIEUR ... GLP... DUBREUIL, L'INGÉNIEUR DUBREUIL, UN HOMME TRÈS SYMPATHIQUE, MÊME AVEC LE PETIT PERSONNEL.

TU SAIS QU'IL A QUITTÉ L'USINE ?

BEN... HIPS... UN COPAIN M'A DIT ÇA ET J'ESPÉRAIS QUE VOUS POURRIEZ ME DONNER DE SES NOUVELLES.

HUM,

19

SI TU VEUX.

JE LUI FILE UN BOUT D'ENTRECÔTE ?

MAIS FAUT QU'IL BOIVE S'IL VEUT MANGER.

DOUCEMENT ...HIPS... PARCE QUE JE CROIS BIEN QUE J'AI DÉJÀ BU PLUS QUE J'AI JAMAIS BEUH... EUH... BU DE MA VIE ENTIÈRE...

21

COMBIEN DE TEMPS IL VA FALLOIR QUE JE RESTE LÀ ?

EN TOUT CAS JUSQU'À DEMAIN MATIN. RAPPORT DÉTAILLÉ À L'AGENCE À HUIT HEURES TRENTE PRÉCISES. VOILÀ DES JUMELLES POUR BIEN OBSERVER. À LA NUIT TOMBÉE, QUAND LES GARDIENS SERONT PARTIS, VOUS PASSEREZ DE L'AUTRE CÔTÉ DU GRILLAGE POUR ÉVITER DE VOUS FAIRE REPÉRER.

ET... HEUH... MANGER ?

IL Y A LÀ-DEDANS UN SANDWICH ET DE L'EAU. MAIS APRÈS VOS EXPLOITS NI LAIT, NI VIN. C'EST OK, COMME VOUS DITES, VICTOR ?

VOUS ÊTES DURE MADAME. MAIS C'EST OK.

TANT MIEUX, PARCE QUE J'AI QUELQUES PETITES CHOSES À RÉGLER, CE SOIR. ALORS JE VOUS FAIS CONFIANCE, VICTOR ...

ENCORE AU TRAVAIL À C'T'HEURE, MADAME HARDY ?

JUSTE DEUX OU TROIS COUPS DE TÉLÉPHONE.

PERSONN ENQUÊ GÉNÉALO

BEN MOI, APRÈS TOUTE UNE JOURNÉE AVEC MES VACHES, C'EST L'HEURE DE BOIRE UN COUP.

MONSIEUR LE CAUCHOIS ?

CETTE NUIT ? VOUS TRAVAILLEZ AUSSI LA NUIT ? QUAND JE PENSE QU'ON ME REPROCHE D'EXPLOITER MES SALARIÉS ! MAIS IL FAUT CE QU'IL FAUT, C'EST CE QUE JE DIS TOUJOURS COMME CHEF D'ENTREPRISE ! ON M'A CONFIRMÉ QUE LA CONCURRENCE TRAVAILLAIT SUR UN PRODUIT SIMILAIRE AU NÔTRE ALORS J'ATTENDAIS AVEC IMPATIENCE QUE VOUS ME FASSIEZ PART DE CE QUE VOUS AVEZ TROUVÉ.

24

ALLO ? MADAME MALAMUD ?

LE GRAND AUTOPORTRAIT ? JE LE CONNAIS PARFAITEMENT. MON FRÈRE L'A PEINT JUSTE AVANT NOTRE DÉPART DE MOSCOU POUR LA FRANCE. SI MON PAUVRE FRÈRE N'AVAIT PAS EU LE MALHEUR D'ÊTRE JUIF, CE TABLEAU SERAIT LÀ, DEVANT MES YEUX. VOUS POURREZ DIRE ÇA À CE MONSIEUR RODCHENKO !

C'EST TOI, SIMONE ?

QUELLE BONNE IDÉE TU AS EUE DE NOUS ENVOYER MARIE COLOMBIER ! C'EST UNE PERLE... TU VERRAIS LE MAGASIN ! D'AILLEURS, POURQUOI NE VIENDRAIS-TU PAS DÎNER AVEC NOUS CE SOIR ? DEPUIS LA MORT DE TON MARI, TU NE SORS PLUS... NON ? TROP DE TRAVAIL ?

ET MAINTENANT, C'EST LA BONNE HEURE... CLÉS... LAMPE ÉLECTRIQUE... INUTILE DE PRENDRE LA VOITURE, C'EST À DEUX PAS...

25

LE JOUR SUIVANT, À 8H30...

BRAVO, VICTOR, VOUS ÊTES PARFAITEMENT À L'HEURE POUR UNE FOIS.

MAIS DANS QUEL ÉTAT! QUELLES SONT LES BRUTES ÉPAISSES QUI VOUS ONT FAIT ÇA?

EUH... SEULEMENT LES LAMAS, MADAME... ILS M'ONT EMBÊTÉ ET JE ME SUIS UN PEU ACCROCHÉ DANS LE GRILLAGE DE LEUR ENCLOS...

JE SUIS DÉSOLÉE...

NON, NON, IL NE FAUT PAS! CAR JE SAIS COMMENT S'APPELLE L'OCCUPANT DE LA VILLA. UN NOM À COUCHER DEHORS, C'EST LE CAS DE LE DIRE. UN NOM QUE J'AI L'IMPRESSION D'AVOIR DÉJÀ ENTENDU, AUSSI!

AU FAIT.

BARONNE BEATRIX DE KÜSNACHT, VOILÀ! ET MORNIC, CE MENEUR DE BERCY DONT JE VOUS AI PARLÉ, IL EST VENU CHEZ ELLE CETTE NUIT. ILS ONT PARLÉ JUSQU'À L'AUBE, L'AIR CALME MAIS PRÉOCCUPÉ, VOUS VOYEZ?

ET MADAME DE KÜSNACHT, VOUS SAVEZ COMMENT ON L'A BAPTISÉE DANS LE RESTAURANT OÙ ELLE VA DÉJEUNER? LA BARONNE ROUGE! IL PARAÎT QU'ELLE LIT "L'HUMANITÉ" EN BUVANT DU CHAMPAGNE CHAQUE MIDI!

VOILÀ QUI EST BIEN LÉGER DE SA PART, DANS TOUS LES SENS DU TERME. MAIS COMMENT CONNAISSEZ-VOUS CES DÉTAILS?

C'EST LE PASSEUR DU LAC QUI M'A RACONTÉ ÇA CE MATIN. IL ÉCOPAIT SA BARQUE PENDANT QUE JE ME METTAIS LA TÊTE SOUS L'EAU POUR... EUH... M'ARRANGER UN PEU. JE LUI AI DIT QUE JE M'ÉTAIS FAIT DÉVALISER DEVANT LA VILLA ET, DE FIL EN AIGUILLE...

DÉCIDÉMENT BRAVO, VICTOR. J'IRAI VOIR ÇA PENDANT QUE VOUS ALLEZ MENER DÈS CE MATIN DES RECHERCHES EN BIBLIOTHÈQUE.

EN BIBLIOTHÈQUE? ET POURQUOI PAS DANS UN ENDROIT ENCORE PLUS POUSSIÉREUX?

AH ÇA, C'EST POUR CET APRÈS-MIDI, OÙ VOUS VOUS RENDREZ À L'INSTITUT DE LA PROPRIÉTÉ INDUSTRIELLE AFIN D'Y REGARDER SI ANTOINE DUBREUIL A DÉPOSÉ DES BREVETS.

J'AI LE SENTIMENT QU'IL Y A QUELQUE CHOSE QUI N'INTÉRESSE PAS SEULEMENT L'INDUSTRIEL LECAUCHOIS DERRIÈRE CETTE HISTOIRE DE PARFUM DISPARU. ALORS, QUE ÇA VOUS PLAISE OU NON, MON PETIT VICTOR...

QU'EST-CE QUE TU AS ENCORE FAIT COMME BÊTISE, VITTORIO?

NE VOUS INQUIÉTEZ PAS MADAME MAZIERO, IL S'EST RENDU TRÈS UTILE AU CONTRAIRE. MAIS IL FAUT QU'IL S'ARRANGE UN PEU PLUS AVANT DE REPARTIR.

C'EST VRAI ÇA, TU SENS LE ZOO.

TRÈS FORT, MAMAN. TU NE VEUX PAS DEVENIR DÉTECTIVE À MA PLACE?

MAIS... VITTORIO?

VOICI LE DOUBLE DE VOTRE PORTRAIT, MADAME HARDY. ET LÀ L'ORIGINAL. ÇA SERA SEULEMENT 2500 FRANCS. IL FAUT S'ENTRAIDER ENTRE COMMERÇANTS, PAS VRAI?

CERTAINE-MENT.

COMMERÇANTE! QUE NE FAUT-IL PAS ENTENDRE! MAIS AI-JE LE CHOIX...

À PART CETTE VOITURE, QUE ME RESTE-T-IL DE MA VIE D'AVANT?

VRROAR

PARDONNEZ-MOI DE VENIR SUR VOTRE LIEU DE TRAVAIL, MARINETTE. J'AURAIS PRÉFÉRÉ ÊTRE PLUS DISCRÈTE, MAIS IL SE PASSE DES CHOSES CURIEUSES DEPUIS LE DÉBUT DE MON ENQUÊTE.

ANTOINE EST EN DANGER ?

FRANCHEMENT, JE NE SAIS PAS. JE VOUDRAIS JUSTE VOUS POSER UNE QUESTION. VOUS M'AVEZ DIT QU'IL NE PARLAIT PAS DE SA FAMILLE. MAIS DE SON ENFANCE, IL NE VOUS A RIEN DIT ?

DES PETITES CHOSES, MAIS JE NE VOIS PAS CE QUI...

AH SI ! UN DIMANCHE, IL M'A EMMENÉE SUR LES BORDS DE LA MARNE ET ON A PÊCHÉ LÀ OÙ IL PÊCHAIT ÉTANT JEUNE.

VOUS VOUS SOUVENEZ DE L'ENDROIT ?

OUI, À LA VARENNE, JUSTE APRÈS UNE GUINGUETTE QUI S'APPELLE AU "GOUJON D'OR". ON Y A DÉJEUNÉ ET APRÈS JE L'AI ATTENDU PENDANT QU'IL ALLAIT RENDRE UNE PETITE VISITE À QUELQU'UN QU'IL CONNAISSAIT ENCORE PAR LÀ.

MERCI, MARINETTE. MAIS À PROPOS DE DÉJEUNER, IL FAUT QUE JE FILE !

VOUS ME FAITES SIGNE SI VOUS AVEZ DES NOUVELLES ?

PROMIS.

32

33

C'EST CETTE PHOTO QUI VOUS A TROUBLÉE, MADAME ?

J'IGNORAIS SIMPLEMENT QUE NOUS AVIONS UNE... HEM... CONNAISSANCE COMMUNE.

PROFITONS-EN POUR DÉJEUNER ENSEMBLE.

PARFAIT. J'AIME LES REPAS ENTRE FEMMES OÙ L'ON PARLE DES HOMMES.

ÇA TOMBE BIEN. PARCE QUE NOUS EN CONNAISSONS UN AUTRE. MONSIEUR MORNIC DES ENTREPÔTS DE BERCY ET AUTRES LIEUX.

COMMENT POUVEZ-VOUS SAVOIR ?

CHAMPAGNE POUR MADAME AUSSI ?

OUI. ET JE PRENDRAI UNE SOLE MEUNIÈRE.

TIENS, C'EST PRÉCISÉMENT CE QUE J'AVAIS COMMANDÉ.

SANS DOUTE SOMMES-NOUS FAITES POUR NOUS ENTENDRE.

PARLONS CLAIR. VOUS CHERCHEZ MONSIEUR DUBREUIL, JE SUPPOSE ?

PARLONS CLAIR, EN EFFET. DANS UN PREMIER TEMPS, C'EST SEULEMENT LA FORMULE D'UN PARFUM QU'IL DÉTIENT QUI INTÉRESSE L'UN DE MES CLIENTS.

D'UN PARFUM ?

VOUS PARAISSEZ SURPRISE ?

PAS DU TOUT, ANTOINE DUBREUIL MENAIT ÉVIDEMMENT PLUSIEURS RECHERCHES DE FRONT.

QUELQUES AMUSE-GUEULE EN ATTENDANT LES SOLES, MESDAMES.

PENDANT CE TEMPS...

UN P'TIT CÔTE AVEC LE JAMBON-BEURRE ?

DE L'EAU, S'IL VOUS PLAÎT.

VOUS ÉCOUTEZ EUROPE Nº 1. SAMEDI SOIR, CONCERT À LA NATION...

... AVEC UN AMÉRICAIN DE PARIS QUE NOUS AIMONS TOUS, LE GRAND SIDNEY BECHET !

VOS ARGUMENTS M'ONT, DISONS, INTÉRESSÉE. D'ACCORD DONC SUR LE PRINCIPE, POUR CE QUI EST DE LA FORMULE, À CONDITION QUE ÇA N'AILLE PAS PLUS LOIN. MAIS IL FAUT D'ABORD QUE J'EN RÉFÈRE À D'AUTRES PERSONNES AVANT DE VOUS FIXER UN RENDEZ-VOUS. JE NE TRAVAILLE PAS POUR MOI, MADAME LA DÉTECTIVE...

MOI NON PLUS, MADAME LA BARONNE ...

OUI MAIS MOI, CE N'EST PAS CE QUE VOUS CROYEZ.

QUE CROYEZ-VOUS QUE JE CROIS ?

YEAH... SHE JUST HAD LUNCH WITH ONE OF OUR OLD FRIENDS... LA BARONNE DE KÜSNACHT ! WHAT DO YOU SAY ABOUT THAT ? CELA VEUT DIRE QUE LES GARS DES ORGANES* NE VONT PAS TARDER À SE MANIFESTER !

*NOM DONNÉ PAR LES INITIÉS AU K.G.B, CHARGÉ DE L'ESPIONNAGE EN U.R.S.S.

RETOURNER DANS SON APPARTEMENT ? NON, NON, MRS HARDY N'A RIEN À VOIR AVEC TOUT CELA ! C'EST LA VEUVE D'UN AGENT DE CHANGE QUI A DÛ SE REMETTRE AU TRAVAIL. POURTANT, MÊME SI ELLE N'EXERCE QUE DEPUIS PEU, ELLE M'A L'AIR TRÈS À SON AFFAIRE. SO I JUST FOLLOW HER AND WHEN THINGS ARE READY...

35

PENDANT CE TEMPS...

DUBREUIL ? NOUS NE CONNAISSONS PAS...

IL N'Y A PAS TRÈS LONGTEMPS QUE NOUS SOMMES INSTALLÉS ICI.

DUBREUIL ? SÛR QUE JE CONNAIS... LUI, C'ÉTAIT UN RÉSISTANT QUI A ÉTÉ FUSILLÉ PAR LES ALLEMANDS. ET ELLE, C'EST LA PETITE MAISON AVEC LE POTAGER ET LES LAPINS, LÀ, JUSTE DERRIÈRE...

MADAME DUBREUIL ?

?

JE CHERCHE VOTRE FILS POUR LUI REMETTRE UNE RÉCOMPENSE SCIENTIFIQUE CAR PERSONNE NE SEMBLE SAVOIR OÙ LE JOINDRE.

UNE RÉCOMPENSE ? MAIS IL N'EN A PAS BESOIN, IL GAGNE TRÈS BIEN SA VIE !

VOUS AVEZ DES NOUVELLES DE LUI ?

J'AI TOUJOURS DES NOUVELLES D'ANTOINE. QUAND IL NE M'APPORTE PAS L'ARGENT LUI-MÊME, C'EST UN MANDAT AVEC UN PETIT MOT GENTIL.

COMME CELUI-LÀ, QUI ARRIVE DE BELGIQUE, JE NE SAIS PAS POURQUOI! MON ANTOINE, IL VOYAGE, VOUS SAVEZ.

IL Y A UNE ADRESSE?

NON, JUSTE UNE BOÎTE POSTALE À... JE NE LIS PAS BIEN SANS MES LUNETTES...

À LIÈGE...BON, EH BIEN JE NE VAIS PAS VOUS ENNUYER DAVANTAGE, MADAME DUBREUIL ...NOUS ATTENDRONS LE... HEM... RETOUR DE VOTRE FILS.

VOUS NE VOULEZ PAS UN PETIT BOUQUET POUR CHEZ VOUS?

OH,, C'EST TROP GENTIL!

PFUU... COMMERÇANTE... ET MENTEUSE EN PLUS... FAUT CE QU'IL FAUT, HEIN, MONSIEUR LECAUCHOIS?

AU GOUJON D'OR

PENDANT CE TEMPS...

ARCHIVES DE FRANCE

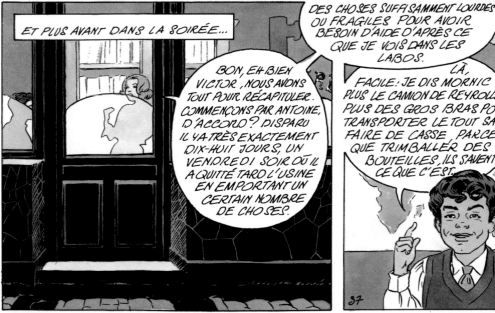

ET PLUS AVANT DANS LA SOIRÉE...

BON, EH BIEN VICTOR, NOUS AVONS TOUT POUR RÉCAPITULER. COMMENÇONS PAR ANTOINE, D'ACCORD? DISPARU IL Y A TRÈS EXACTEMENT DIX-HUIT JOURS, UN VENDREDI SOIR OÙ IL A QUITTÉ TARO L'USINE EN EMPORTANT UN CERTAIN NOMBRE DE CHOSES.

DES CHOSES SUFFISAMMENT LOURDES OU FRAGILES POUR AVOIR BESOIN D'AIDE D'APRÈS CE QUE JE VOIS DANS LES LABOS.

LÀ, FACILE: JE DIS MORNIC PLUS LE CAMION DE REYROLLES, PLUS DES GROS BRAS POUR TRANSPORTER LE TOUT SANS FAIRE DE CASSE, PARCE QUE TRIMBALLER DES BOUTEILLES, ILS SAVENT CE QUE C'EST.

ILS PASSENT AUSSI AU DOMICILE D'ANTOINE, RAMASSENT CE QU'ILS JUGENT UTILE. PARTOUT OÙ MOI JE PASSE DERRIÈRE EUX, JE TROUVE TRACE DU FAMEUX PARFUM QU'IL AURAIT VOLÉ. MAIS TRACE AUSSI D'UNE ESPÈCE DE MOISISSURE À LAQUELLE LECAUCHOIS FEINT DE NE PAS S'INTÉRESSER.

MOI, GRÂCE AUX LECTURES QUE VOUS M'AVEZ... HUM... SUGGÉRÉES, JE DÉCOUVRE QUE LA GRANDE AFFAIRE DU MOMENT DEPUIS LA COMMERCIALISATION DE LA PÉNICILLINE, C'EST LA RECHERCHE DE NOUVEAUX ANTIBIOTIQUES.

C'EST CE QUE ME CONFIRME LE PROFESSEUR ANGELIER. LES AMÉRICAINS ONT JUSQU'À MAINTENANT REMPORTÉ TOUS LES SUCCÈS ET CONTRÔLENT LE MARCHÉ. LES SOVIÉTIQUES PRÉTENDENT SUIVRE LEUR PROPRE FILIÈRE MAIS SONT SOUPÇONNÉS D'ESPIONNAGE SCIENTIFIQUE. LA FRANCE ESSAYE DE SE PLACER.

ET ANTOINE DUBREUIL NE DÉPOSE PAS DE BREVET AVEC LECAUCHOIS POUR UN EXCIPIENT PARFUMÉ, MAIS IL PUBLIE UN ARTICLE DANS LE BOSTON JOURNAL OF BIOCHEMISTRY QUI LUI VAUT UNE RÉCOMPENSE.

TIENS?

PARDON?

CE N'EST RIEN, POURSUIVEZ.

ET DÈS SON RETOUR DE LONDRES, IL PROTÈGE SES TRAVAUX PORTANT SUR LA RUBIDOMYCINE ET SES FUTURS DÉRIVÉS À USAGE THÉRAPEUTIQUE.

LA RUBIDOMYCINE? JE SUIS SÛRE QUE C'EST LE MOT ET LA CHOSE DONT NOUS SUIVONS LA TRACE, MON PETIT VICTOR! VOILÀ DONC PLUS OU MOINS POUR L'HISTOIRE SCIENTIFIQUE, MAIS IL Y A UNE AUTRE MANIÈRE DE VOIR L'AFFAIRE...

LE PÈRE D'ANTOINE A ÉTÉ TUÉ PAR LES ALLEMANDS. DÈS L'ÉCOLE NORMALE SUPÉRIEURE À PARIS PEUT-ÊTRE, À CAMBRIDGE CERTAINEMENT, ANTOINE DEVIENT COMMUNISTE OU, EN TOUT CAS, SYMPATHISANT.

C'EST UN JEUNE HOMME IDÉALISTE, QUI N'A SANS DOUTE INTÉGRÉ L'ENTREPRISE DE LECAUCHOIS QUE POUR ACCÉDER À UN MATÉRIEL DE POINTE QU'IL N'AURAIT PAS TROUVÉ DANS LE SERVICE PUBLIC.

IL EST MIS EN CONTACT AVEC MORNIC, ANCIEN RÉSISTANT COMME SON PÈRE, QUI JOUE UN RÔLE IMPORTANT AU SYNDICAT ET AU PARTI DANS LE XIIᵉ ARRONDISSEMENT...

EST-CE QU'IL Y A ALORS UN ÉLÉMENT EXTÉRIEUR QUI PRÉCIPITE LES CHOSES? CAR LA BARONNE DE KÜSNACHT, DONT J'ATTENDS UN APPEL...

AH, LA BARONNE! JE SAVAIS BIEN QUE J'AVAIS ENTENDU SON NOM SUR CETTE NOUVELLE RADIO ÉPATANTE, EUROPE N°1! J'AI DONC ÉTÉ VÉRIFIER QU'ELLE S'ÉTAIT TROUVÉE MÊLÉE À UNE DRÔLE D'AFFAIRE.

SON MANOIR DES ARDENNES SERVAIT À DES RÉUNIONS DU KOMINFORM, C'EST CELA ?

EXACT, MADAME, MÊME SI JE NE SAIS PAS CE QU'EST LE KOMINFORM.* TOUJOURS EST-IL QUE RIEN DE TRÈS ILLÉGAL N'A ÉTÉ RETENU CONTRE ELLE, MAIS ELLE N'A PAS FAIT MYSTÈRE DE SES SYMPATHIES POLITIQUES ET, JE CITE, N'EST-CE PAS, ELLE PENSE QUE L'URSS CONSTITUE LE PHARE DE L'HUMANITÉ."

HUMANITÉ ET CHAMPAGNE, OUI, JE VOIS.

* ORGANISATION SOUS CONTRÔLE SOVIÉTIQUE CHARGÉE ENTRE AUTRES D'AMENER INTELLECTUELS ET SCIENTIFIQUES DE HAUT NIVEAU À DÉFENDRE LES RÉALISATIONS DE L'URSS.

MAIS ANTOINE DUBREUIL, QUI SE TROUVE PRÉSENTEMENT, COMME PAR HASARD, EN BELGIQUE ET ME PARAÎT BIEN NAÏF EN DÉPIT DES PETITS SECRETS DONT, SANS DOUTE SUR LES CONSEILS DE MORNIC, IL ENTOURAIT SA VIE AVEC MARINETTE...

C'EST QUI ÇA, MARINETTE ?

C'EST...

DRRRIIINNG

UNE MAISON EN MEULIÈRE, EN FACE DES ENTREPÔTS, DANS DEUX HEURES, RUE DE BERCY. C'EST NOTÉ, J'Y SERAI. SEULE, COMME CONVENU. ET NOUS EN RESTERONS LÀ, COMME CONVENU, À CONDITION QUE VOUS EN RESTIEZ LÀ AUSSI, COMME CONVENU.

C'ÉTAIT LA BARONNE, MAIS COMME J'AI UNE CONFIANCE LIMITÉE EN ELLE, VOUS ALLEZ RETOURNER SURVEILLER SA VILLA.

PAS CHEZ LES LAMAS !

OÙ VOUS VOUDREZ ET AVEC LE MOYEN DE LOCOMOTION QUE VOUS CHOISIREZ, CAR J'AI UN RENDEZ-VOUS OÙ J'IRAI TOUT À L'HEURE EN VOITURE, CELA FAIT PARTIE DE L'ARRANGEMENT QUE JE M'APPRÊTE À EXPLIQUER À NOTRE CLIENT.

OH MOI, POURVU QU'IL Y AIT DE L'ACTION ...

MONSIEUR LECAUCHOIS ?

39

41

JE VOUS ÉCOUTE, MADAME HARDY.

EH BIEN, IL Y A DU NOUVEAU, MAIS JE NE POURRAI PAS TOUT VOUS DIRE CAR J'AI PASSÉ UN ACCORD QUI DEVRAIT NOUS PERMETTRE DE RETROUVER LE PARFUM SOUS CERTAINES CONDITIONS.

PLUS TARD, EN FACE DU ZOO...

HOULA, QUI C'EST CES DEUX-LÀ AVEC LEURS GROS PARDESSUS ?

ET OÙ ILS VONT COMME ÇA ?

KAK ТЕБЯ ЗОВУТ? КАК ТВОЙ АДРЕС?

SON NOM, C'EST EDITH HARDY. ET IL Y AURA QUELQU'UN POUR VOUS LA MONTRER. MAIS CE QUE VOUS ALLEZ FAIRE N'ÉTAIT PAS CONVENU AVEC MORNIC.

DES RUSSKOFS! LA PATRONNE EST EN DANGER! ALORS TANT PIS, JE FAUCHE LE TRIPORTEUR!

VROOAAR

... ET PLUS TARD ENCORE, PASSAGE DU RENDEZ-VOUS...

UN PNEU À PLAT! INCROYABLE!

ET À CETTE HEURE, PLUS DE TAXI EN MARAUDE! JE VAIS ÊTRE EN RETARD...

40

UNE SEULE SOLUTION...

C'EST ELLE.

ELLE VA PRENDRE LE MÉTRO, JE NE SAIS PAS POURQUOI...

PICPUS

VOUS ÊTES SÛR QUE CE SONT DES AGENTS DU KGB ?

YES SIR, RIEN QU'AUX PARDESSUS, INIMITABLES !

YOU WAIT HERE, I'LL PROTECT HER.

ALL RIGHT.

43

CRRRRLINC
BRON·KNC

SCHPLAF

ET PLUS TARD ENCORE...

JE VOUS REMERCIE DE VOTRE AIDE.

ELLE N'EST PAS DÉSINTÉRESSÉE.

VOUS AUSSI VOUS TRAVAILLEZ POUR LE CAUCHOIS ?

NON, POUR MON PAYS, C'EST-À-DIRE LE GOUVERNEMENT AMÉRICAIN.

MOI, ICI ET MAINTENANT JE TRAVAILLE POUR MOI-MÊME ET VOUS ME LAISSEZ FAIRE. J'AI PASSÉ UN ACCORD, JE LE RESPECTE, MÊME SI DE L'AUTRE CÔTÉ ON NE PEUT PAS DIRE LA MÊME CHOSE.

I UNDERSTAND.

FACE AUX ENTREPÔTS DE BERCY...

MORNIC !

ET MOI, HARDY !

ON M'A TÉLÉPHONÉ. LES CHOSES NE SE SONT PAS DÉROULÉES COMME PRÉVU. JE VOUS DEMANDE DE VOUS EXCUSER.

LA FORMULE DU PARFUM !

44

NOUS NE SOMMES PAS DES TUEURS MADAME, NOUS N'AVONS PAS DE COUTEAU ENTRE LES DENTS...

NON, JUSTE DANS LES PNEUS DE VOITURE... LA FORMULE !

ANTOINE DUBREUIL EST UN
COMPAGNON DE ROUTE ET NOUS
PROTÉGEONS SES RECHERCHES
POUR LE BIEN DE
L'HUMANITÉ, CONTRE
LES AGISSEMENTS DE
L'IMPÉRIALISME.

LA
FORMULE.

CLAC

LA VOICI, AINSI QU'UN
ÉCHANTILLON POUR PROUVER
NOTRE BONNE FOI. MAIS CELA NE
SERVIRA QU'À FAIRE GAGNER
PLUS D'ARGENT À LECAUCHOIS
SUR LE DOS DE SES
OUVRIERS.

PEUT-ÊTRE.
POURTANT
N'OUBLIEZ PAS QU'IL
EXISTE DES TRACES
D'UNE AUTRE
CHOSE, PERDUE
À VOTRE PROFIT
CELLE-LÀ.

NOUS REFUSONS
LE PROFIT,
MADAME !

LE SAMEDI SUIVANT...

VOICI LE CHÈQUE DE MONSIEUR LECAUCHOIS POUR LE PARFUM ! LE PREMIER GROS CHÈQUE DE L'AGENCE HARDY !

ET SA **DS** ?

IL N'A PAS FAIT DE RAPPROCHEMENT AVEC NOUS, VICTOR. ALORS, RESTONS-EN LÀ. APRÈS VOUS ÊTRE OCCUPÉ DU TRIPORTEUR, POURRIEZ-VOUS RAPPORTER UNE PHOTO ACCOMPAGNÉE DE CE PETIT MOT À SA PROPRIÉTAIRE ?

MARINETTE ?

VOUS ÊTES AUSSI FORT POUR LA DÉDUCTION QUE VOTRE MAMAN. MAIS ATTENTION À NE PAS VOUS METTRE DANS UN MAUVAIS PAS, VOUS VOYEZ CE QUE JE VEUX DIRE ?

PAS DU TOUT, MADAME. L'ACTION, MOI ÇA NE ME FAIT PAS PEUR.

COMMENT TU T'ES ARRANGÉ MON PAUVRE VITTORIO !

AIDE-MOI PLUTÔT À ME FAIRE BEAU MAMAN.

VOUS PARTEZ, MADAME HARDY ?

OUI ÉMILE, UN WEEK-END À HONFLEUR COMME JE LES AIMAIS JADIS, ÇA ME FERA DU BIEN.

VOUS ALLEZ VOIR DES VACHES DANS DES CHAMPS, QUELLE CHANCE !

ET, LE SOIR MÊME...

SIDNEY BECHET ? JAMAIS ENTENDU PARLER. ET PUIS JE N'AI PAS LA TÊTE À ÇA APRÈS LA LETTRE DE MADAME HARDY. MON ANTOINE PRISONNIER DANS UN CHÂTEAU FORT...

ALLONS, VENEZ, MARINETTE. ÇA VOUS CHANGERA LES IDÉES.

ET VOUS, ÇA NE VA PAS VOUS FAIRE ENCORE PLUS MAL À LA TÊTE, CETTE MUSIQUE ?

FIN DU PREMIER ÉPISODE.

DES MÊMES AUTEURS

ANNIE GOETZINGER

1976 - Casque d'Or (Glénat)
1978 - Aurore (Editions des femmes)
1980 - Curriculum BD (Humanoïdes Associés)
1982 - Félina : les Mystères de Barcelone (Dargaud)
1983 - Félina (Dargaud)
1986 - Félina : L'Ogre du Djebel (Dargaud)
1980 - La Demoiselle de la Légion d'Honneur
    (Dargaud puis Humanoïdes Associés 1990)
1981 - La Diva et le Kriegsspiel (Dargaud puis Humanoïdes Associés 1990)
1985 - La Voyageuse de la Petite Ceinture
    (Dargaud puis Humanoïdes Associés 1990)
1987 - Charlotte et Nancy (Dargaud)
1989 - Le Tango du Disparu (Flammarion)
1990 - Barcelonight (Humanoïdes Associés)
1991 - Rayons Dames (Humanoïdes Associés)
1992 - L'Avenir perdu (Humanoïdes Associés)
1993 - Mémoires de Barcelone (Editions de la Sirène)
1994 - Le Message du Simple (Seuil)
1996 - La Sultane Blanche (Collection Long Courrier - Dargaud)
1999 - Paquebot (Collection Long Courrier - Dargaud)

PIERRE CHRISTIN

BANDE DESSINÉE

AVEC J.C. MÉZIÈRES - VALÉRIAN - (DARGAUD)

1970 - La Cité des Eaux Mouvantes
1971 - L'Empire des Mille Planètes
1972 - Le Pays sans Etoile
1972 - Bienvenue sur Alflolol
1973 - Les Oiseaux du Maître
1975 - L'Ambassadeur des Ombres
1977 - Sur les Terres Truquées
1978 - Les Héros de l'Equinoxe
1980 - Métro Châtelet, Direction Cassiopée
1981 - Brooklyn Station, Terminus Cosmos
1983 - Mézières et Christin... Spécial Valérian
1984 - Les Spectres d'Inverloch
1985 - Les Foudres d'Hypsis
1988 - Sur les Frontières
1990 - Les Armes Vivantes
1992 - Atlas Cosmique : Les Habitants du Ciel
1994 - Les Cercles du Pouvoir
1996 - Otages de l'Ultralum
1997 - Par les Chemins de l'Espace
1998 - L'Orphelin des Astres
2000 - Les Habitants du Ciel 2 (supplément à l'Atlas)
2000 - Les Mauvais Rêves (Réédition)

AVEC PHILIPPE AYMOND (DARGAUD)

1997 - Les Voleurs de Villes (Collection Long Courrier)
1997 - 4X4 : La Première Rencontre
1998 - 4X4 : La Vitrine de la Honte
1999 - 4X4 : L'Ombre du Triangle
2000 - 4X4 : La Dernière Rencontre

AVEC ANNIE GOETZINGER

1980 - La Demoiselle de la Légion d'Honneur (Humanoïdes Associés)
1981 - La Diva et le Kriegsspiel (Humanoïdes Associés)
1985 - La Voyageuse de Petite Ceinture (Humanoïdes Associés)
1987 - Charlotte et Nancy (Humanoïdes Associés)
1996 - La Sultane Blanche (Collection Long Courrier - Dargaud)
1999 - Paquebot (Collection Long Courrier - Dargaud)

AVEC ENKI BILAL

1975 - La Croisière des Oubliés (Humanoïdes Associés)
1976 - Le Vaisseau de Pierre (Humanoïdes Associés)
1977 - La Ville qui n'existait pas (Humanoïdes Associés)
1979 - Les Phalanges de l'Ordre Noir (Humanoïdes Associés)
1983 - Partie de Chasse (Humanoïdes Associés)

AVEC D'AUTRES DESSINATEURS

1975 - Rumeurs sur le Rouergue avec J. Tardi (Futuropolis)
1978 - En Douce le Bonheur avec J. Vern (Dargaud)
1978 - En Attendant le Printemps avec P. Lesueur (Dargaud)
1981 - Paris sera toujours Paris ? Collectif (Dargaud)
1981 - Les Leçons du Professeur Bourremou avec F. Boucq (Audie)
1985 - La Maison du Temps qui passe avec J. Vern (Dargaud)
1986 - Le Cercle Magique avec J. Tournadre (Dargaud)
1986 - La Boîte morte, le Vengeur et son Double avec B. Puchulu (Dargaud)
1990 - Après le Mur avec A. Knigge et Collectif (Humanoïdes Associés)
1990 - Canal Choc avec J.-C. Mézières et Collectif (Humanoïdes Associés)
1992 - La Nuit des Clandestins avec D. Ceppi (Humanoïdes Associés)

LIVRE ILLUSTRÉ

1984 - L'Etoile Oubliée de Laurie Bloom avec E. Bilal (Autrement)
1987 - Lady Polaris avec J.-C. Mézières (Autrement)
1988 - Cœurs Sanglants et autres faits divers avec E. Bilal
    (Humanoïdes Associés)
1989 - Le Tango du Disparu avec A. Goetzinger -
    Collection Roman BD (Flammarion)
1994 - L'Homme qui fait le Tour du Monde
    avec M. Cabanes et P. Aymond (Dargaud)

Les Correspondances de Pierre Christin

1997 - Les Belles Cubaines avec P. Lesueur (Dargaud)
1998 - Trains de Plaisir avec J.-C. Denis (Dargaud)
1998 - Chez les Cheikhs avec J. Ferrandez (Dargaud)
1999 - Les 4 Vérités de la Vᵉ avec A. Lemoine (Dargaud)
1999 - La Bonne Vie avec M. Cabanes (Dargaud)
2000 - Le Sarcophage avec E. Bilal (Dargaud)

ROMAN

1976 - Les Prédateurs Enjolivés (Robert Laffont)
1979 - Le Futur est en Marche Arrière (Encre)
1981 - Zac (Grasset)
1994 - Rendez-vous en Ville (Flammarion)
1998 - L'Or du Zinc (Albin Michel)

CINÉMA

Bunker Palace Hôtel (scénario pour E. Bilal)

THÉÂTRE

Ce Soir on Raccourcit (avec la troupe de la Tête Noire)